MARIKA HERZOG

# SLEEPY BOY 1

DEATH COFFEE
DEATH · COFFEE

Wir Menschen sind immer beschäf-tigt.
So be-schäftigt, dass wir eine wichtige Sache vergessen haben ...

IMPACT 01
APPARITION
Kaffee!
Es muss hier
doch irgendwo
Kaffee geben!
NEW
MOVIE
Nathan E. Desmond
Na
komm
schon!
Sorry!

Bruder!

Hier!

Ich darf nicht einschlafen ...

Becky Desmond
Trink schon!
OUCH
Aua, das tut weh!
Du hast Glück, dass du noch lebst! Ein normaler Mensch wäre längst tot.
Pff ... Du weißt, was passiert, wenn ich einschla-fe.
Jaja. Trink.
Nimm dir nächstes Mal mehr mit!
Wie oft soll ich's noch sagen ...
Ahhhhh-
DÓN
Was ist denn da los?!
BOOOM
Wo kommt der Lärm her?

... wir haben vergessen zu schlafen. Sind diese Uhren wohl deshalb aufgetaucht?

Eine Uhr?
Die fliegt?! Wie ist das mög-lich?

Die Menschheit wartete darauf, dass etwas passiert ...

... doch nach einigen Wochen ...

Bis die Uhrzeiger begannen, sich in die entgegengesetzte Richtung zu drehen ...
... hatte sich nichts geändert.
... und seltsame fliegende Fische auftauchten.

COLEMAN HIGH SCHOOL

Es ist verrückt!

Ich glaube, das sind Aliens!

Blödsinn!

Das ist sicher nur ein Werbegag.

07:45

Suche

Nachrichten

citynews.fr
Uhren sind am Himmel aufgetaucht! Bürger haben ein Recht auf Antworten!

sunpaper.fr
Terrorattacke? Alieninvasion? Was tut die Regierung?

newspaper-day-ticker.com
Verschwörungstheoretiker bestätigt: Die Uhren sind neue Gottheiten.

...
Anschei-
nend haben
es welche aus
der Zehnten
nah ran ge-
schafft
...
... und Selfies mit ihnen gemacht.
Aber ... es ist verbo-ten, in dieses Gebiet zu gehen!
Angst-hase!
Ey, Nate! Kommst du mit?
Na los!
Tut mir leid, ich muss meine kleine Schwes-ter nach Hause bringen.
Immer die gleiche Ausrede!
Aber guck doch, Nate!
Na komm!

Übrigens, stimmt es, dass es bei dir zu Hause spukt?
In der Nacht soll man dort schreckliche Schreie hören ...
... und gruselige Gestalten tauchen an den Fens-tern auf.
...
Ich hab Angst!
Also? Stimmt es?!
Hör auf dir in die Ho-se zu machen, es gibt keine Geister.
Ähhh ... Also ...
Hilfe!

...
HM?
Also?
...
Warum sagst du nichts?
?
Ich kann ihnen nicht verraten, dass meine Albträume zum Leben erwachen, wenn ich schlafe.
Auch nicht, dass mein Spiegelbild lebt.
...
Nate, kommst du? Ich warte!
HMPFH
Die gleichen Augenringe!
Kein Zweifel, das ist seine Schwester.
Bis morgen!

Sie haben mich ausgequetscht!

Ich brauch Kaffee.

Oh nein, es gibt meinen nicht mehr!

Na gut, ich probiere eine andere Marke aus.

Ich hoffe, die ist genauso wirksam.

Wollen Sie nicht mal etwas anderes trinken als Kaffee?

Besser nicht!

DEATH COFFEE

Argh! Haut ab, dreckige Biester!

...

Schon wieder fliegende Fische?!

Kommt ja nicht zurück, ihr Ungezie-fer!

Aber sie tun doch nichts!

...
angesichts des Anstiegs unbekannter Kreaturen ruft die Regierung zu Vorsicht auf
...

HUI

Ich frage mich, ob es eine Verbindung zu den Uhren gibt
...

Wir sind spät dran!
Becky, beeil dich ein bisschen!
Jaja!

Hat der einen Geist gesehen, oder was?
Das ist doch nicht ...
WOSCH
DU?!

AH!
Komm schon, Becky!
Warum lässt er mich nicht in Ruhe?
Hä?! Das war vorhin noch nicht da ...
Wir sind's!

Ich bin so furchtbar müde ...
Ihr seid aber spät zu Hause!
Wir haben im Kiosk noch Kaffee besorgt.
Kann ich schlafen gehen?
UUah
Setzt euch, das Abendessen ist fertig.
Es tut mir leid ...
Ja, geh nur, ich hoffe, Nates Albträume wecken dich heute Nacht nicht auf.

...

Du bist immer noch hier?!

Lass mich in Frieden!

Mmmh ...
Entkoffeinierter Kaffee
DEATH COFFEE
Nate,
wach
auf!
Nein, nicht
schon wieder!

Ein Albtraum!
Hä?!
Aber ... wo bin ich?
Träum ich gerade?

Was ist das für ein Ort?
Kommen hier etwa meine Albträume her?
Aber ... das ist mein Zimmer!
Hey, wartet!
Geht da nicht hin!
Nein!

DING
DONG
DONG

Was war das?
Ein Albtraum? Was macht der hier?! Der hätte verschwinden müssen, als ich aufgewacht bin!

MIST!
Becky?
Mama?
Papa?
Die Küche!

DEATH CO

Wa...?!

Ich …
Ich kann mich nicht bewegen …
Nate, pass auf!

Papa!
Mama!

!

... sie bewegen sich nicht von der Stelle!

Lass mich das machen!

Du?!

W...
Was
...?!
Endlich
frei!
Hey, du!
Lass sie
in Ruhe!
Geh da
rein!

N... Nate?
Macht euch keine Sorgen, ich regel das!

Viel Spaß beim Aufräumen!
Lass mich raus!
Das ist nicht unser Sohn!
Hey! So spricht man nicht mit seinem Retter!

Ist mir egal, ich will hier raus!

Warum?
Mir gefällt
es gut hier.
!
Hä?!
Nein,
ich
...

Ich will ...
W... Warte!
Raus!
Was ist passiert?
Das war wie die Welt meiner Alb-träume!
Meine Familie!

Nein! Bitte nicht!
Mama! Papa!
Nate?
WAS?!

Mama?!
Nate? Bist du es?
Ja, ich bin's!
Zum Glück wollten wir die Küche eh renovieren!
POFF POFF
ZUCK
Das ist alles meine Schuld.

Mama, Papa
und Becky,
es tut mir so leid, dass ich euch
in Gefahr gebracht habe. Sucht nicht
nach mir, ich komme wieder, wenn ich
eine Lösung gefunden habe.
Macht's gut
Nate
PS: Tut mir leid wegen
der Küche

Diese Uhr …

TAP

TAP

Hey! Du könntest dich wenigstens bei mir bedanken, Junge!
Aaaah!

Findest du? Na dann, danke, dass du meine Familie fast umgebracht hast! Und seit wann sprichst du eigentlich?

Ich habe schon immer gesprochen ...

... Du hast mich nur nie gehört.

Ich würde gerne in deine Welt kommen ...

Auf gar keinen Fall tauschen wir noch mal, das war viel zu gruselig!
Hilfe!

Hey! Du tätest besser daran, dir Sorgen um das Monster zu machen, ich hab es nur vertrieben ...
HÄ?!

Es ist da!

URGAHH

Wenn du überleben willst ...

... lass mich dei-nen Platz einneh-men!
Nein!
Nie-mals!

Tut mir leid, aber du hast keine Wahl mehr ...

Ha!
Verfehlt!

Du bist auf Nate losgegangen.

HÄ?
WUSH

... hattest du nicht gesagt, dass du den leicht be-siegst?!

Nein, nur dass du überleben wirst!

Das war knapp.

Er ist stärker, als ich dachte!

Aber ...

D... Du bist verrückt!

Heeey!

Dafür ist jetzt keine Zeit!

SHHHH
!!
SHHH
!
TAP

Ein Junge?
Nicht sicher, er sieht komisch aus. Was sollen wir machen?
Nehmen wir ihn an Bord?

Endlich wach!

Kaffee gefällig?

Gluck

Herzlich willkommen in der Spinner-WG!

HÄ?!

Wo bin ich jetzt wieder reingeraten?

AAAAAh
Was für ein Glück, dass wir dich gefunden haben.
Wer weiß, was sonst mit dir passiert wäre.
Möchtest du noch eine Tasse?

SLURP

Wir dachten, du wärst einer von uns, und da du bewusstlos warst, haben wir dich zu uns mitgenommen.

Einer von euch?!
Kein Mensch. Aber am Ende ...

... wirkst du doch eher normal. Nun, ich heiße Lucian. Und du?
Nate, und ja, ich bin normal.
Er macht mich irre.

Na ja, zumindest solange ich wach bin ...
?!
Ach nichts.
...
Du kannst hierbleiben, wenn du willst.
Die anderen sind unterwegs.
Was?! Es gibt noch andere?
Er wirkt nicht gerade wie ein Mensch.

Er ist komisch, aber ... vielleicht ist das meine Gelegenheit zu verstehen, was hier los ist.
Die Uhr ist immer noch da!

Dieses
Klingeln
...

...
habe ich auch
gehört, bevor das
Monster meine
Familie angriff.

Was bedeutet das nur?
Lucian!
Schnell! Triff mich in der Coleman-Schule. Es ist dringend!

Ja, warum?

Er hat »Coleman« gesagt, oder?

Ich muss los.

Bleib hier und ruh dich aus!

Ich komm mit!

Ich komme mit!

Bist du sicher?

Die Nacht war lang, du hast dich noch nicht erholt ...

Meine kleine Schwester ist in dieser Schule!

COFFEE
?
DEATH · COF

IMPACT 02
CLOCK STRIKE

-LUCIAN-
mobil
Ja, ich weiß ...
... und das ist nur der Anfang.

Hoffen wir, dass es nicht zu viele Opfer gibt.
Chris!

Warum hast du ihn mitgebracht?
Er hat darauf bestanden.
Er hätte zu Hause bleiben sollen.

Wie kannst du so schnell sein?
Wir schauen besser mal nach.
HÄ?!

Das sind ...

... Pilze!
Hey!
Willst du, dass ich ihn zurückbringe?
Auf keinen Fall! Ich muss meine Schwester finden!

Ich war mit meinem Patenkind und seiner Mutter verabredet, aber …

Hey! Lucian!

Sie steht nicht auf der Liste!

...

Sie ist bestimmt noch im Gebäude.

Becky, halte durch!
Das wird schon. Wir werden einen Weg da rein finden.
CAUTION
WAP
Schnell ...
... bevor uns jemand sieht!
...

Bleib in meiner Nähe, okay?
Okay!
Kann ich dich was fragen?
Schieß los.
Wer bist du?

Was ist gestern passiert? Warum hast du Arme aus Knochen? Du hast gesagt, du wärst kein Mensch ...

Ich dachte, du hättest nur eine Frage!
Tut mir leid, ich ...
Hmm ...

Um es kurz zu machen ...
Ja?
Wir sind Wesen der Träume, Dream Entities.
Hä?!
Nun, Chris wirkt menschlicher als ich, aber gut ...
Wie das?! Aber ich bin ein Mensch!
Jaja, vergiss das!
Erklär es mir!

Die Dream Entities entstehen in den Träumen der Menschen. Wir gehören nicht in diese Welt.
Aber einige von uns stecken hier manchmal versehentlich fest.
Chris hat mich gefunden.
Er kümmert sich um mich und die anderen ...
... und hat uns in dieser Welt ein Zuhause gegeben.
Sie »stecken fest« ...?
Das ist echt merkwürdig ...
Nichts davon gehört hierher.

Aaaaah! Aaaaah!

Nimm sie weg! Nimm sie weg!

Das war gar keine Spinne ...

Ups. Ent-schuldige. Schau!

Ist das wirklich meine Schule?
Wirkt wie eine andere Welt.
Was ist ...?
Schüler?

Z
Z
Z
Sie schlafen.
Irgendwas ist hier faul ...
Hoffen wir, dass deine Schwester noch nicht eingeschlafen ist.

Nate,
warte!
Becky!

Ich muss sie retten!

Stopp!
Lass mich los!
Und wie planst du von der Pflanze wieder loszukommen?
Weiß ich nicht, aber ...
Nix da »aber«!
Fass mich nicht mit deiner Knochenhand an!
Ich werde sie holen.
Hey!
Warte hier auf mich und mach dir keine Sorgen.
Ich habe alles im Griff!

...
Lucian?!

Becky!

Nate, er macht mir Angst!
Hey, ich habe dich gerade gerettet!

Was treibst du nur?!
Du solltest auf ihn auf- passen!

Wäre es dir lieber, wenn ich danebenstehe und nichts tue?!

Mama ... Papa ...

Kommst du?

Tut mir leid ...

Nate! Mama und Papa sind da!

Nate?

Wirst du nicht zu ihnen gehen?

Sie sind immerhin deine Familie.

Nicht, solange ich eine Gefahr für sie bin.

Kann ich bei euch bleiben?

Erst fragen wir deine Eltern.

O... Okay.

✓

!

Herzlich willkommen, lieber Mitbewohner.

Feiern wir das mit einem guten Bier.

Hä?! Das geht doch nicht!

Ich bin minderjährig! Möchtest du im Gefängnis enden?

Ha ha ha!

Reingelegt!

Chris!
Wir sind
zurück!

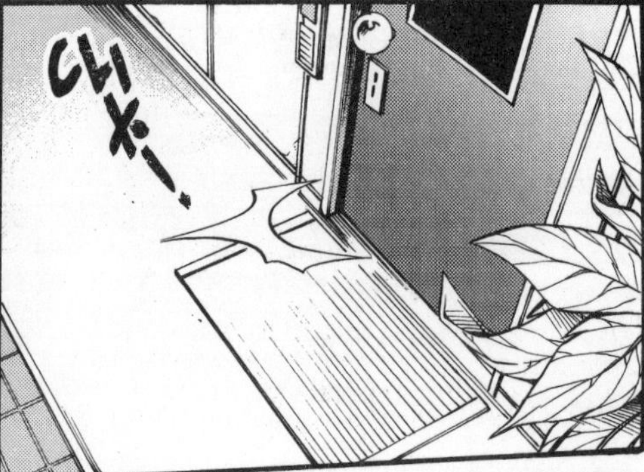

Hast du dein
Patenkind
gefunden?
»Patenkind«?

Sie schläft im Gästezimmer.

Bist du sicher, dass das eine gute Idee ist?!

Sie kann sonst nirgendwo hin ...
I AM CUTE

Sie hat gerade ihre Mutter verloren.
Was?!
DEATH COFFEE

IMPACT 03
DINNER TIME
Seit Tagen untersucht die Wissenschaft unnachgiebig den Zusammenhang zwischen dem Läuten der Uhren …
… und dem Auftauchen von Gebäuden und Kreaturen überall auf der Welt.
Nun wird noch von einem weiteren Effekt berichtet …
SONDERSENDUNG
Die Uhren
… eine mysteriöse Schlafkrankheit hat eine Vielzahl von Menschen befallen.
SONDERSENDUNG
Die Uhren
…
Zum aktuellen Zeitpunkt ist noch keine der betroffenen Personen wieder aufgewacht.

Die Ermittlungen laufen weiter.

Genau das ist mit Sicherheit auch den Schülern meiner Schule passiert.

TAP

Gut, das reicht!

CLICK

Hä?!

Ich hoffe, sie werden wieder aufwachen.

Schwer zu sagen. Wir wissen noch viel zu wenig über diese Phänomene. Diese Uhren ...

... sie scheinen der Welt der Träume zu entspringen.

Aber wie sind sie hier aufgetaucht?

Welchen Zweck könnten sie erfüllen?

Das ist eine Dream Entity, wie Lucian.

Wie das?

Sie spürt andere Dream Entities auf.
Durch sie haben wir dich gefunden.

Danke, meine Hübsche.

Lucian?!

Pillow hat schon wieder versucht mich aufzufres-sen!
Sorry, er ist wohl hungrig.
Er ist immer hungrig!
Es ist echt un-glaublich, dass du deine Familie mit so einem Teil in Gefahr bringst!

Unsinn!
Gut, ich gebe zu, dass er seit meiner Geburt schon immer versucht alle aufzufressen ...
... aber meine Albträume sind deutlich gefährlicher.
Ihretwegen schlafen wir alle schlecht.

Und das
aus gutem
Grund.
Meine
Eltern und Becky
würden es nie
zugeben
...
?
COFFEE
...
aber sie
hatten schon
immer Angst
vor mir.
Meine Existenz
hat ihnen eine
Menge Probleme
und Schmerzen
bereitet.

Aufgrund des Schlafmangels wird meine Mama ständig krank.
Einmal schlief sie am Steuer ein und verursachte fast einen Unfall.
Mein Vater wurde entlassen, weil er bei der Arbeit einschlief.
Meine kleine Schwester Becky ist sitzen geblieben.
Sie alle sind mehr und mehr gestresst.
Ich war immer eine Last für meine Familie.
Aber wir haben es immer überstanden ...
... mit einer guten Dosis Kaffee!
Na ja ... So war es bis jetzt ...

Bis die Uhren zum ersten Mal geläutet haben.
Ich weiß nicht mehr, was ich tun soll! Meine Albträume sind unkontrollierbar und mein Spiegelbild versucht meinen Platz einzunehmen!
...
Ich bin am Ende.
Ich brauche Hilfe ... Bitte ...

Wir werden dir helfen! Du kannst auf uns zählen!

Wirklich?! Danke, danke, danke!
Alles gut, beruhige dich, sonst wirst du noch ohnmächtig!

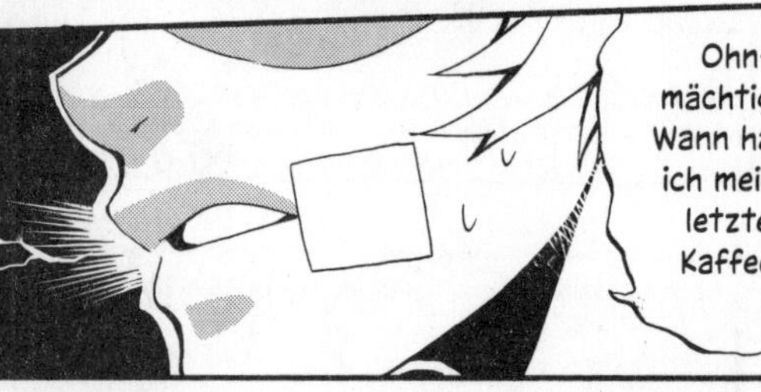
Ohnmächtig ... Wann hatte ich meinen letzten Kaffee?

Nein, nein ...!

Ich brauche Kaffee! Schnell!
Oh, oh ...

Wo ist der Kaffee?!

Es gibt keinen mehr, du hast unsere Vorräte geleert.

Hier, um welchen zu kaufen.

...

Ohne Kaffee werde ich einschlafen und ...

Hey! Nehmt das Kissen mit!

Los, gehen wir!

Hab keine Angst, sie sind harmlos.

WOP

Aber es stimmt schon, dass es immer mehr werden.

MUS

24-7

Komisch ... Sonst ist der Laden immer überfüllt!
Na ja, zumindest krieg ich mei-nen Kaffee so schneller.
Wa...?!
Oh?!

Das ist eine Traum-pflanze. Die können ganz schön frech sein ...

Eine Pflanze?
Shreee!

?!
... aber genau wie die Fische sind sie harm-los. Komm, beeil dich!

24/7 STORE
Süßwaren

DEATH COFFEE
Das ist der letzte.

COFFEE

Mama, guck mal, der hat sich verkleidet!
Psst!

Das bin ich gewohnt.
Wäre es nicht unauffälliger, wenn du deine Arme versteckst?

Wo wäre denn da der Spaß?
Ähh ... Was ist das alles?

Ich habe was zum Kochen mitgenommen.
Das sieht kompliziert aus. Normalerweise bestellen wir Essen.

DDD

Nein.
Ich habe schon zu viel zu tun, seit mein Mann sich diese Schlaf-krankheit einge-fangen hat.

?
Schließ dich uns an!
WIR STELLEN AB SOFORT EIN:
Vollzeit/ Teilzeit

Sind Sie in-teressiert?

Schließ dich uns an!
WIR STELLEN AB SOFORT EIN:
Vollzeit/ Teilzeit
Nein, Entschul-digung.

GRIP

Schließ di… …n!

Schade, ich brauche wirklich dringend Unterstützung.

Meine Angestellten haben sich alle mit der Schlafkrankheit angesteckt.

Ich schaffe es alleine nicht mehr.

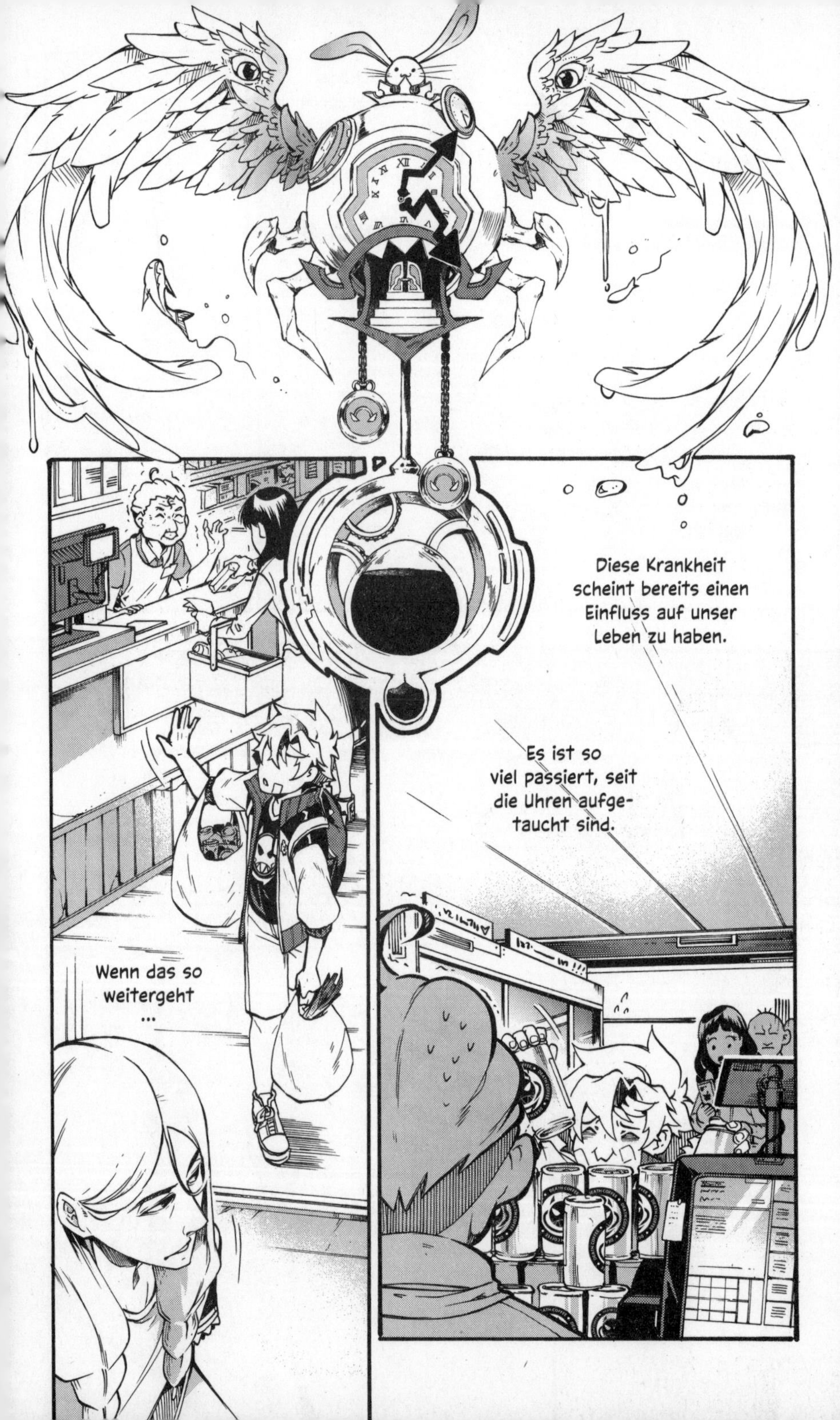

Diese Krankheit scheint bereits einen Einfluss auf unser Leben zu haben.
Es ist so viel passiert, seit die Uhren aufgetaucht sind.
Wenn das so weitergeht ...

Haben wir alles?
Ja, glaube schon.
Was wird wohl aus unserer Welt werden?!

I AM CUTE · I AM CUTE
Hä?! Wo bin ich?
Was ist das?

Ver-
bände?!

Der
Unfall!

!

Mama
...

Kommt schnell heim! Alenia ist aufgewacht!

Chris, ich warne dich vor ...

Was hat er denn jetzt wieder vergessen?

Nate, halt dich fest, wir müssen zurück!

OH?!

Hey! Was machst du da?! Lass mich los!

Ich kann alleine laufen!

Nein! Du bist viel zu langsam!

IMPACT 04
DREAM MARKET
LUWAK MALL
MOVIE
DER DREAM COFFEE
DEATH COFFEE

Seit drei Wochen wurden keine seltsamen Erscheinungen mehr gemeldet.
Dennoch raten die Behörden zu äußerster Vorsicht.
...
Ganz schön ruhig hier.
Hat Nate die Nacht schon wieder mit Videospielen verbracht?
Ja. Wenn das so weitergeht, muss ich ihn ausknocken, damit er schläft.
Seine Albträume werden wohl nicht lebendig, wenn er ohnmächtig ist.
POKEX
LES HORLOGES

Danke für das Frühstück.
Meinst du, Alenia wird sich heute zu uns ge- sellen?
Er sollte gleich hier sein.
Ich sehe, dass du seinen Kaffee schon vorbereitet hast.
...
Sie wird zu uns sto- ßen, wenn sie sich bereit fühlt.
Sie geht uns schon seit Wochen aus dem Weg ...
... und ich bin immer derjenige, der ihre Portion isst.
Sie braucht Zeit.

G... Guten Morgen.

Alenia, was für eine Überraschung!

Hast du Hunger?

Ich bin am Verhungern! Aber Chris, dein Essen ist wirklich ungenießbar!

Was?!

DU BIST EINER VON UNS!

WAS IST DER ZUSAMMENHANG ZWISCHEN DEM AUFTAUCHEN VON MONSTERN UND DER SCHLAFEPIDEMIE?

NATE? MENSCH? ODER DREAM ENTITY?

HAUS ZERSTÖRT VON EINEM MONSTER. GANZE FAMILIE AUF DER FLUCHT

WO KOMMT DIE UHR HER?

SCHULE ZERSTÖRT DURCH DAS AUFTAUCHEN EINER PILZSTADT

... kommen eure Recherchen voran?

Alenia ... Geht's?

Ja ...

...

DU BIST EINER VON UNS!

WAS IST DER ZUSAMMENHANG ZWISCHEN DEM AUFTAUCHEN VON MONSTERN UND DER SCHLAFEPIDEMIE?

DU BIST EINER VON UNS!

NATE 2 MENSCH? ODER DREAM ENTITY?

Ich werde herausfinden, was passiert ist, Mama, ich verspreche es dir!
Alenia, geh von der Tür weg.
Hä?!
Warum hält er ein rotes Tuch hoch? Stier-kämpfe sind verboten.

Kaffeeee!

Noch einer!

Was?! Beruhige dich …

… du Freak!

Oh, hi, ich hatte dich nicht gesehen!

Äh, nein, ich ...
Seit wann bist du so schüch-tern?
Die sind echt zu schräg!
DIE UHREN SIND IMMER NOCH DA!
Erneut Monster
Ich habe so einen Hunger ...

Nate gibt mir Kochunterricht.
...
Das sieht aber gut aus! Wer hat das gekocht?
WOW!

Gestern Abend ist eine seltsame Gasse im fünften Bezirk aufgetaucht. Eine neue Pflanzenart überwuchert die Straße.
Das ist ganz in der Nähe!

Der Bereich wurde von der Polizei abgeriegelt und wird durchgängig bewacht.
SONDERSENDUNG
Seltsame Pflanze gesichtet

AH!
Aber ...

Diese Pflanze ...
... und hör auf mich ständig so zu packen!
Die sieht genauso aus wie die, die wir gesehen haben, aber sie ist ganz schön gewachsen ...
...

Wisst ihr, wo das ist?
Ja.
Neben dem Kiosk, der zugemacht hat.

Wir sollten mal ein Auge darauf werfen.
Es wäre sicherlich eine Gelegenheit, neue Informationen zu sammeln.
Was sagst du dazu, meine Hübsche?
Und wer weiß, vielleicht finden wir etwas ...
... über dieses alles zerfressende Übel heraus.

Okay, Nate ...
J... Ja?
Du kommst mit mir! Nimm dein Kissen und ordentlich Kaffee mit!
Hey!
Ich komm auch mit!
Hä?!
NARIAAAH

Hier ist ganz schön viel los.
Ist das wirklich die gleiche Blume?
Hey! Wartet doch mal!
Beeil dich!
Also, los geht's!

Ich hoffe ...
... ich finde endlich Antworten.
Vor allem über mein Spiegelbild.
Da fällt mir ein ...
... er hat sich lange nicht mehr gezeigt.

Ich frag mich, wer er wirklich ist.

Er hat mir zwar geholfen, wirkt aber trotzdem gefährlich.

Ich bin wirklich verflucht.

Hey! Kaffee-Freak!

Was treibst du da?

Die Polizei hat den Eingang versperrt.

Wie sollen wir da bitte reinkommen?

Gute Frage.

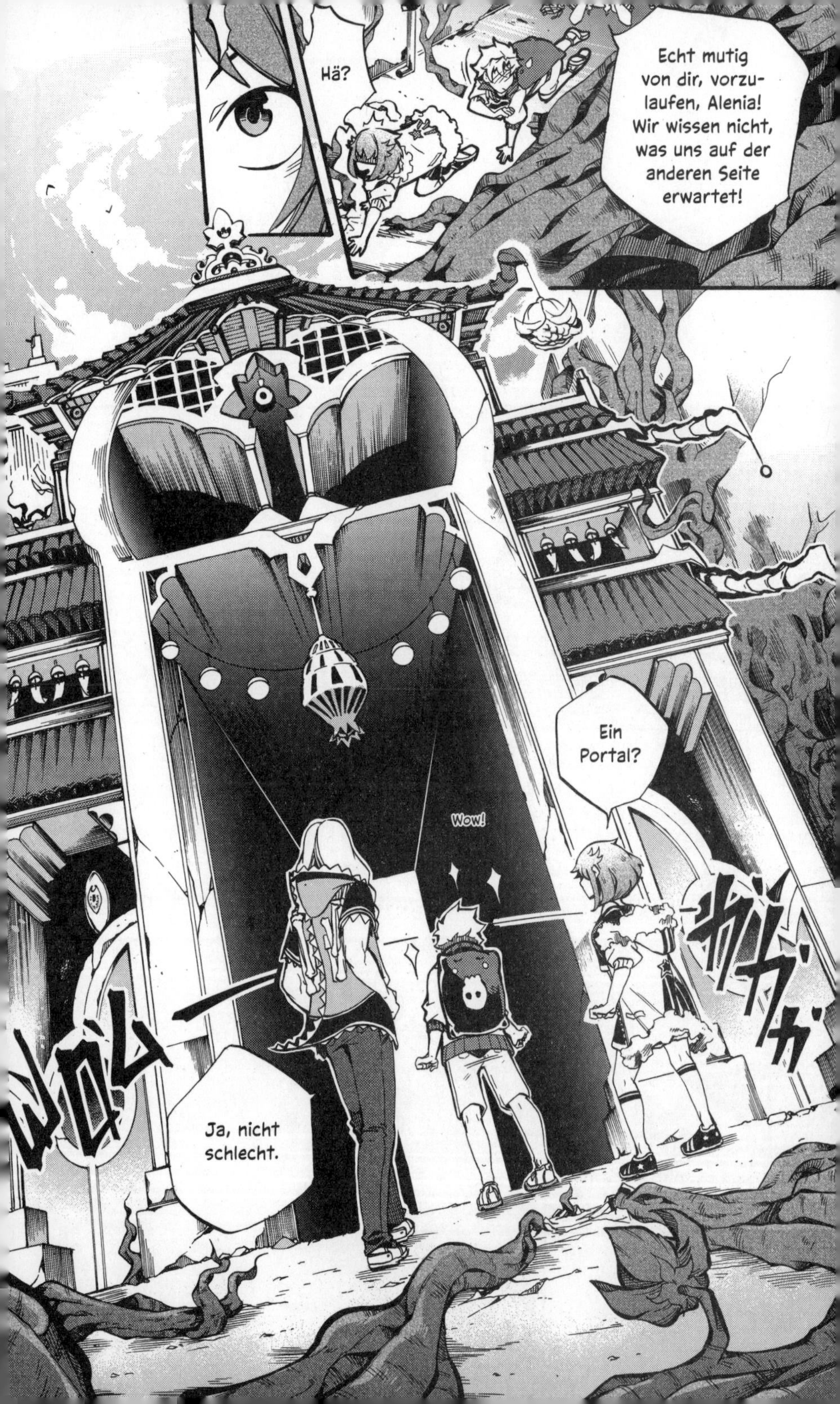
Echt mutig von dir, vorzulaufen, Alenia! Wir wissen nicht, was uns auf der anderen Seite erwartet!
Hä?
Ein Portal?
Wow!
Ja, nicht schlecht.

Herzlich willkommen auf dem Markt der Träume!
Eine sprechende Blume!
Der »Markt der Träume«?!
Wir lieben Besucher!
Na ja, nur sie nicht ...

Sie wirkt zu normal.
WAS?!
Was soll das denn heißen?!
»Zu normal«?!
Ich gehör zu ihnen!
Die sind doch wohl merkwürdig genug für drei?!
Hä?!
Das ist nicht sehr nett!
Wir finden schon eine Lösung.
Das solltet ihr besser, ihr Weirdos!

...

Und hört auf Blödsinn zu machen!

Warum bin ich ihnen nur gefolgt?

Alles okay, Alenia?
Jaja ...

Mama ...
KNIRSCH

Tschau!
Das passt, wir kön-nen alle gehen.
Hey! Wartet auf mich!

ムロムカ!
IAM
?

!
Hey?!

Haaah ...
Das ist doch blöd!
Niemand weiß hier irgend-was!

Los, lasst uns weitersu-chen!

Eine Uhr?!
...
Eine ganz spezielle Uhr!

Was sagen Sie da?

Das Ende …

Das Ende von allem!
Wie, »das Ende« …?
Lauft, ihr armen Verrückten! Lauft!

Hört nicht auf ihn.
PON
Er ist total verrückt!

Er verbringt seine Tage damit, vor meinem Stand zu sitzen.
Okaaay …

Ich habe euch gewarnt!

Und wenn ...?

Hey, Opa!
Wissen Sie, wozu die Uhren am Himmel dienen?

Hey!

HE
HE
HE
Auch du ...
... bist besonders.
Um die Antworten zu finden ...

Sie sammeln
das Wissen der
Welten und
der Zeiten.

Ihr Durst
nach Wissen
ist unstillbar.

Eulen?!

Leider habe ich sie nie gesehen.

Sind sie jemals in dieser Welt aufgetaucht?

Viel Glück, mein Junge!

?!

Nate!

Da bist du!
Wir haben dich überall gesucht.
Oh, sorry!

Wer ist das?
Lauft, ihr armen Verrückten! Lauft!

Lauft, ihr armen Verrückten! Lauft!

RUN
Hat der 'ne Schraube locker?

BOOOOOM
Was war das?!
Ein Erdbe-ben?
Eine Explosion ...
... in der Stadt!
DEATH CO

COFFEE!
Z Z Z
DISH
COFFEE
CAFÉ
COFFEE

IMPACT 05
WATCH OUT!
DEATH COFFEE
I AM CUTE

Mein Gott, verständigt den Notruf!

Nate!
Wer war dieser alte Verrückte?
Keine Ahnung!
Er sagte, ich solle Eulen suchen, die Wissen sammeln.
Das ist alles.
Wissens-eulen?! Was ist das schon wieder?
Ist es nicht gefährlich, auf den Ort der Explosion zuzurennen?
Bestimmt, aber sie werden helfende Hände brauchen.

Ein Helikopter!
Wie schrecklich ...
Aber warum ist er abgestürzt?

Was ist das für ein Monster, Lucian?!
!

Ist das wirklich eine Dream Entity?

Sie können nicht alle so schön sein wie ich!

?!

Was macht der hier? Die Uhren haben doch noch gar nicht geläutet heute.

Vielleicht hat der Helikopterabsturz ...

... ihn geweckt?

Ihr zwei, bleibt hier und helft den Verletzten. Aber seid vorsichtig!

Das Ding ist riesig! Was sollen wir dagegen tun?!

W... Was?!

Los geht's!

Lucian, warte! Ich ...!

Ich würde ihm gerne helfen, aber ...

Lass mich das machen!

Diese Stimme ...

Du?!

Aber ja, ich bin immer da!

So wie du beim letzten Mal reagiert hast ...

... habe ich mich lieber zurückgehalten.

Aber jetzt haben wir keine Wahl mehr.

Nate!
Auf keinen Fall, ich versuch lieber allein klarzukommen!
Nate! Komm zurück!

Lucian! Du schaffst das nicht allein! Ich ...

Jetzt muss es schnell gehen!
Aber wie? Er ist riesig!
Argh, was hab ich dir gesagt?! Geh zurück zu Alenia, ich kümmere mich darum!

ZUCK

Zu spät.

Das war knapp!
Lucian kämpft ganz alleine!
Wo ist Pillow?! Er hat meinen Kaffee!
Nein, nein, nein!

Lucian hat es geschafft, die Kinder zu retten, sehr gut.
Mama! Mama!
Nate! Hinter dir!
HÄ?

Lucian?!

Lucian?! Geht es dir gut?

Joa ... aber dieses Monster ist viel zu stark.

Wo ist Nate?

Er ist immer noch da drüben.

Was?!

Komm da weg, Dumm-kopf!
O... Okay!
Lucian! Was mach ich jetzt?
Hm?
Ich kom...
Nein! Das ist wirklich nicht der Moment!
Ich muss ...

Nate?!
Das Monster wird ihn ... Wir müssen ihm hel-fen!
Nein, warte!
Schau!

D...
Das passiert also, wenn er einschläft?
Er ist kein Mensch.
Das sind die Albträume von Nate.
!

Er ist völlig am Ende.

Selbst Kaffee würde nichts bringen.

Das ist gar nicht gut!

Ich hatte ihm doch gesagt, er soll weggehen!

Wenn wir keine Lösung finden ...

... richtet dieses Monster vielleicht noch mehr Schaden an!

Nate!

Wach auf!

TICK
TICK

Endlich!
Das verspricht ...
... interessant zu werden! Oder nicht ...
... liebe Uhr?

FORTSETZUNG FOLGT ...

BONUS

Mein Ruck-sack!
COFFEE
COFFEE
Was ist das? Alles Kaffee?!
Bitte!
Ich brauche Kaffee!
TEACHER
COFFEE!
Endlich!
COFFEE

Dr. Prof. Lucian

KAFFEE

NATE & PILLOW

Koffeinmessleiste von Nate

Was passiert, wenn Nate weder Kaffee noch Koffein aufnimmt:

0% 5% 49% 100%

Kaffee?

Einschlafen und Freilassung der Albträume.

Aktivierung des extremen Wut-Modus.

Hyperaktivität. Der Kaffeeradar wird aktiviert.

Alles super.

sgeknockt oder ohnmächtig = keine Albträume

Interessant ...

Du bist ja wirklich 'ne wandelnde Gefahr! Was läuft denn falsch bei dir?!

Jaja....

Ich weiß Bescheid, danke, das reicht.

Nathan E. Desmond
MOVIE
HORROR
Nützliche Dinge, um wach zu bleiben
Er kann sehr gut kochen und bereitet supersüße Bentos für seine kleine Schwester vor.
Trinkt nicht so viel Kaffee, das ist sehr gefährlich für die Gesundheit (außer wenn fliegende Uhren am Himmel auftauchen oder eure Albträume töten können). Und vor allem, schlaft, das ist wichtig für einen gesunden Lebensstil.

Pillow
Der beste Begleiter der Welt! Oder nicht ...
HÄ?
ESSEN?!
Dient auch als ganz weiches Kuscheltier.
Kann wie ein Rucksack genutzt werden. Gegenstände können in seinem zweiten Magen aufbewahrt werden.
1. Magen
2. Magen
Mit Anti-Diebstahl-Funktion. Für das größte Pech der Diebe ...
NOM
Möchtest du eine Umarmung?
Hau ab!
Liebt es, Leute zu essen (Lucian hat das schon erlebt).

## Die Uhr der Träume

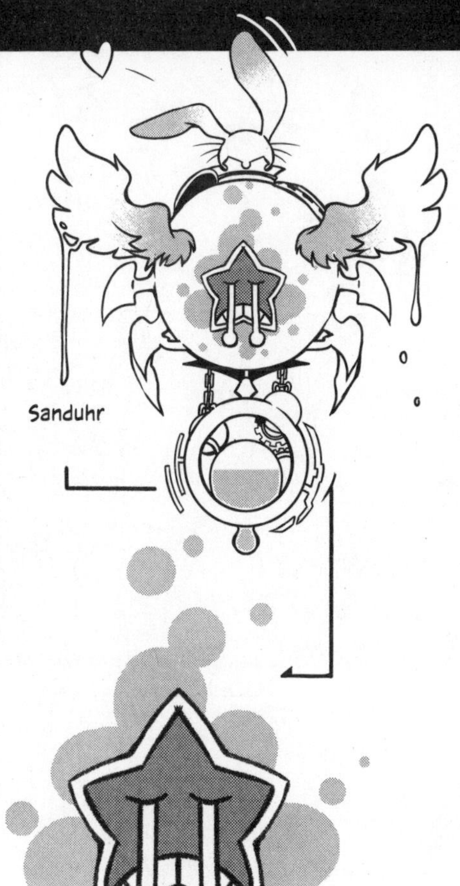


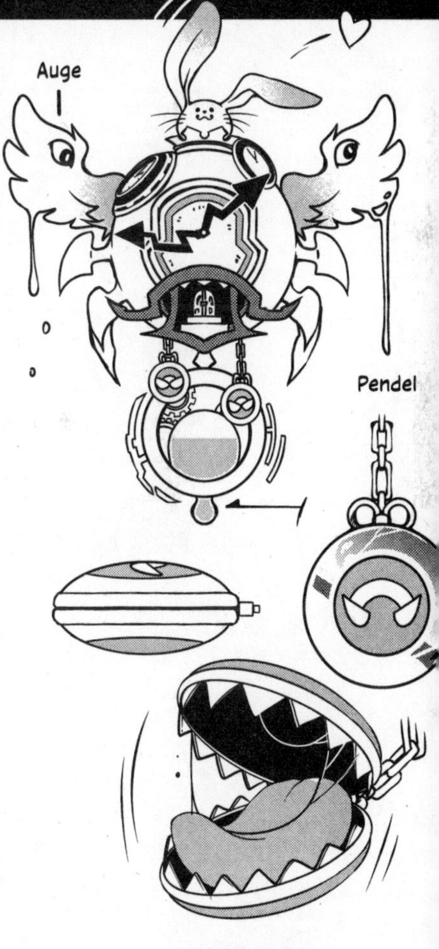

An meine Verlegerinnen bei Ankama, Elise, Margot und Charlotte, und an meine Freelance-Verlegerin Janine Paschke:

**Danke für eure Hilfe, eure Korrekturen, eure Bemerkungen, all eure Mühe und eure Zeit. Ich habe viel gelernt dank euch und ich bin so dankbar mit euch arbeiten zu dürfen.**

Und auch an:

Hallo,

danke, dass du diesen ersten Band gelesen hast und diese Geschichte verfolgt hast, die mir wirklich am Herzen liegt! Ich arbeite noch härter am nächsten Band, damit dieser noch besser wird und damit ich auf mein maximales Zeichnen-Kämpferniveau aufsteige!!

Bis bald für neue Abenteuer, neue Charaktere und natürlich immer: für mehr Kaffee ;)

Und für die Tee-Fans:

**Bleibt neugierig!**

Ich freu mich darauf, euch im zweiten Band wiederzusehen!

...

Wirst du dich von einer
Widmung heimsuchen lassen?

DEATH COFFEE
DEATH COFFEE
COFFEE

!!!
!
COFFEE

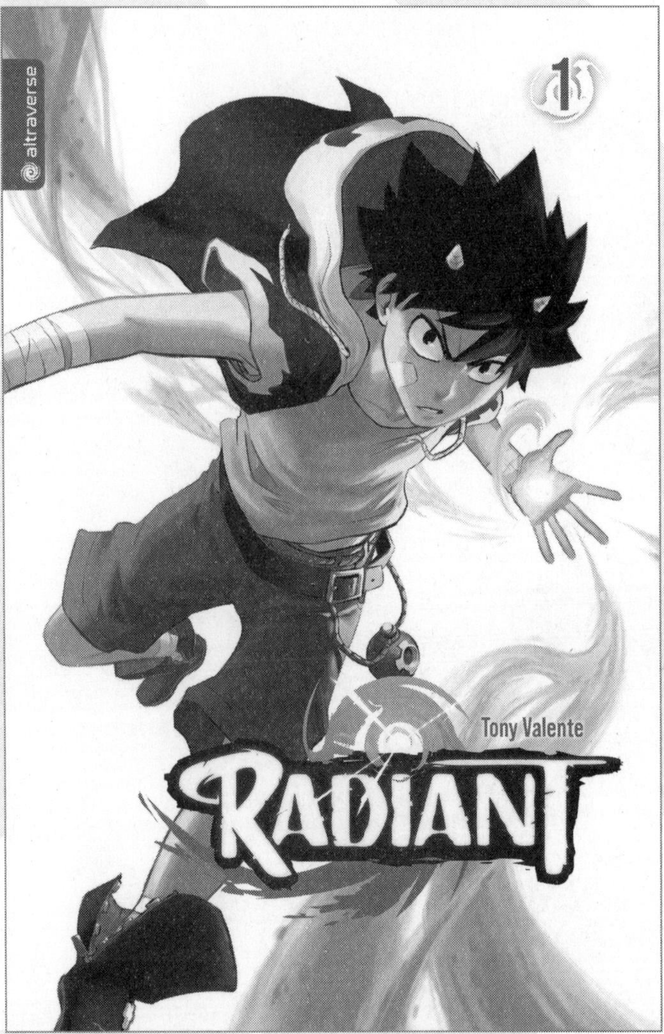


**Radiant**
Tony Valente

Seth ist ein junger Hexer und gehört damit zu den wenigen, die den schauderhaften Monstern namens Nemesis Einhalt gebieten können, welche das Land bedrohen. Geplagt von Vorurteilen der Bevölkerung und gejagt von der Inquisition beschließt Seth nach Radiant zu suchen, dem legendären Ursprung der Nemesis.

**Ripper**

Jeronimo Cejudo

Nach einer Katastrophe ist die Welt nahezu unbewohnbar, doch die letzten Menschen geben noch nicht auf. In der Hoffnung, ein neues Zuhause finden zu können, schicken sie eine Spezialeinheit namens Ripper los. Statt eines neuen Edens treffen sie jedoch auf einen Jungen namens Junk, dem die giftige Umwelt nichts anzuhaben scheint ...

## Das Geheimnis von Scarecrow

Gin Zarbo

Die Menschen stehen in einem ständigen Kampf mit den Crows, finsteren Monstern, die an riesige Krähen erinnern. Die Legende besagt, dass ihnen dabei einst die Scarecrows zur Seite standen. Engell glaubt fest daran, dass es sie gegeben hat, und macht sich auf die Suche nach ihnen. Doch als sie tatsächlich einen von ihnen findet, nimmt das eigentliche Abenteuer erst seinen Lauf …

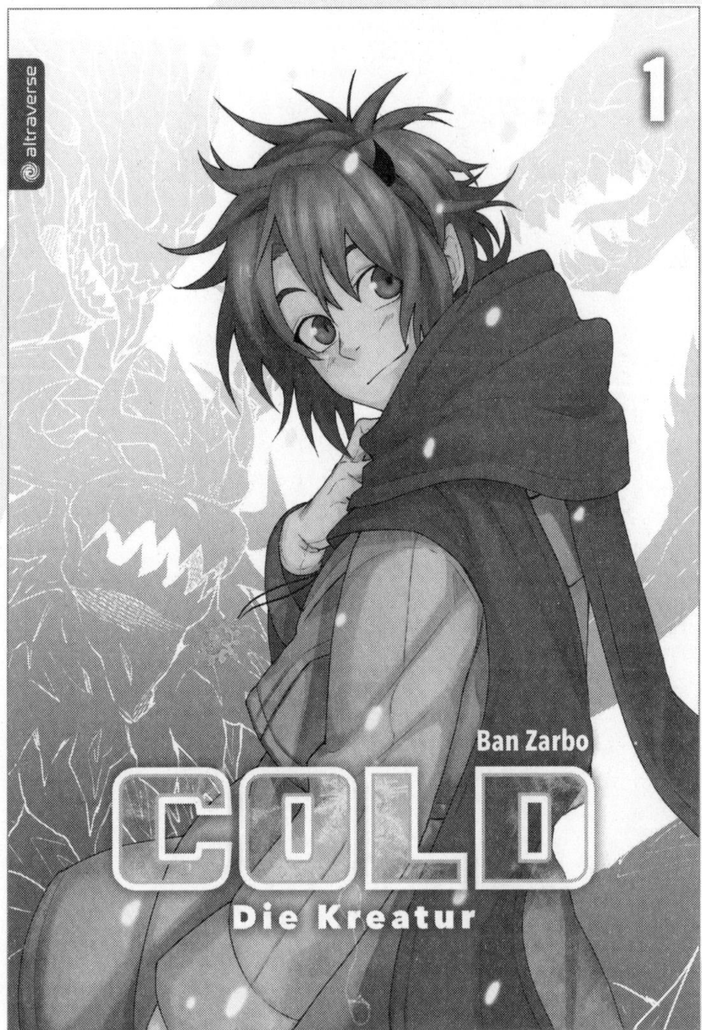


**Cold – Die Kreatur**

Ban Zarbo

Nach einer Klimakatastrophe hat sich die Welt in ein Meer aus Eis verwandelt. Durch die eisigen Landschaften wandern gefährliche Monster. Die Menschen haben sich in durch hohe Mauern geschützte Städte zurückgezogen und müssen sich Nacht für Nacht gegen die Monster verteidigen. Der junge Sami will unbedingt ein Mitglied der Stadtwache werden und die Welt für immer von den Monstern befreien ...

**Charon 78**
Tamasaburo

Die Charons sind Fremdenführer in einer Welt, durch die ein tiefer Riss von gigantischen Ausmaßen verläuft. In diesem Riss, der Acheron genannt wird, lauern vielerlei Gefahren auf Reisende. Die Natur ist unbarmherzig und weite Teile werden von unheimlichen Wesen bevölkert. Nichts ist dort so, wie es scheint.

**Der konkurrenzlose Weise – Mit der Hilfe von Gaming-Wissen zur Nummer eins einer anderen Welt**

Shinkoshoto | Miso Sato | Kaito Shibano

Kaum ist es ihm gelungen, den Boss des VR-Online Games *BBO* zu bezwingen und damit die Spitze der Rangliste zu erklimmen, erliegt Eld einer Krankheit. Doch er wird in einer anderen Welt wiedergeboren, die *BBO* zum Verwechseln ähnelt! Allerdings fehlt ihren Bewohnern jegliches Wissen über Skills und Techniken. Eld setzt sich ein Ziel: Er will auch die Nummer eins dieser Welt werden.

Romance 13+

**Der Fluch des purpurnen Rauches**
Racami

Erin wüsste gern, was der optimale Verlauf ihres Lebens wäre. Um dies herauszufinden, sucht sie den Hexenmeister Artur auf. Der ist auch bereit, ihr zu helfen. Aber dafür muss Erin einen Preis zahlen: Sie soll zehn Jahre bei dem Hexenmeister bleiben ...

**Der stärkste Held mit dem Mal der Schwäche**

Shinkoshoto | Liver Jam & POPO (Friendly Land) | Huuka Kazabana

Einst gab es einen mächtigen Weisen, der sein Leben der Magie widmete. Er kam jedoch zu der Erkenntnis, dass sein Mal nicht für den Kampf geeignet war. Da ein Mensch bei seiner Geburt eines von vier Malen erhält, entschied er sich wiedergeboren zu werden. Es glückte ihm, jedoch muss er erkennen, dass die magischen Fähigkeiten der Menschen schwächer sind, als er erwartet hatte.

**Mein Isekai-Leben – Mit der Hilfe von Schleimen zum mächtigsten Magier einer anderen Welt**

Shinkoshoto | Ponjea (Friendly Land) | Huuka Kazabana

Yuji Sano hat nichts anderes als Arbeit im Kopf – zumindest bis ihn sein PC eines Tages versehentlich in eine andere Welt katapultiert. Als frischgebackener Monsterbändiger sammelt er neben einer Armee von Schleimen auch schier endloses Wissen. Doch was wird jetzt bloß aus der Arbeit, die er zurückgelassen hat?

Fantasy 15 +

## Wistoria – Zauberstab & Schwert

Story: Fujino Omori | Artwork: Toshi Aoi

Will Serfort hat einst versprochen, einer der mächtigsten Magier zu werden, und verfolgt diesen Traum noch immer. Deshalb schreibt er sich an der Magieschule Rigarden ein. Das Problem ist jedoch: Er beherrscht keinen einzigen Zauber. Ihm bleibt nichts anderes übrig, als sich mit seiner Schwertkunst durchzusetzen ...

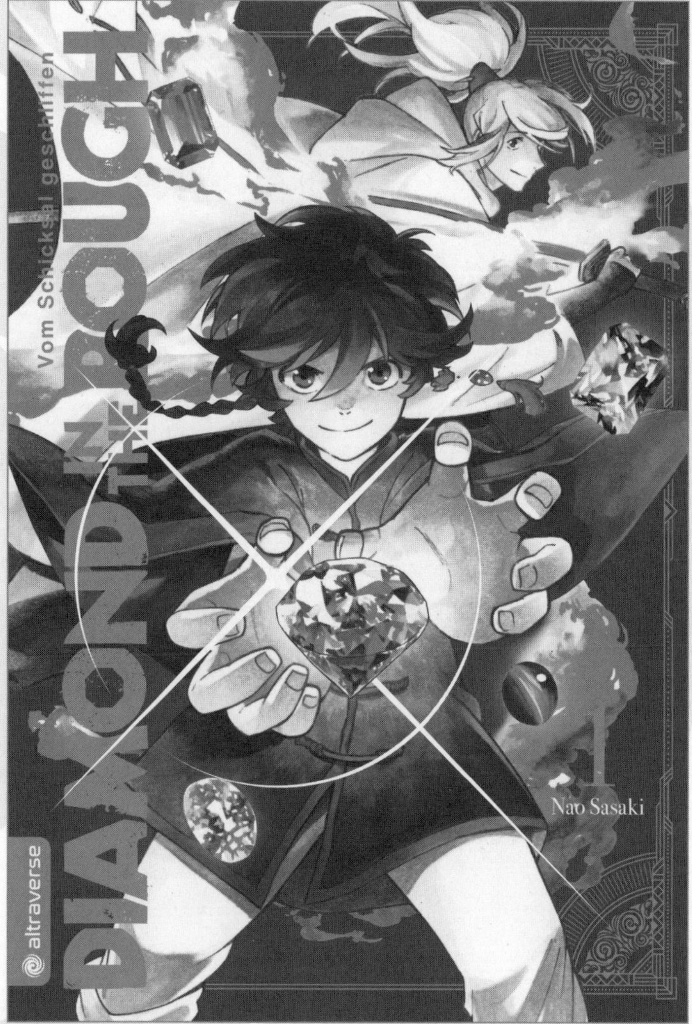


## Diamond in the Rough – Vom Schicksal geschliffen

Nao Sasaki

In einer Welt, in der sich alles um Steine dreht, bestreitet Akeboshi sein Leben als reisender Erzhandwerker. In einem unterirdischen Dorf trifft er auf Kai – einen Jungen, dessen linkes Bein und seine gesamte Familie versteinert wurden. Akeboshi beschließt, dem Jungen zu helfen, ohne zu ahnen, welche Bürde er sich damit auflädt.

**Tokyo Aliens**

NAOE

Akira Gunji führt ein stinknormales Leben ... Zumindest bis ihn auf dem Heimweg von der Schule eine Oma mit Tentakeln entführt. Sie entpuppt sich als Außerirdische, und als ob das nicht genug wäre, taucht plötzlich Akiras Klassenkamerad Sho auf und will die Oma festnehmen? Akiras Leben steht mit einem Mal kopf.

Sci-Fi 15 +

## Snowball Earth

Yuhiro Tsujitsugu

Der einzige Freund des menschenscheuen Tetsuo ist ein riesiger Roboter namens Yukio. Zusammen treten die beiden gegen Bestien aus dem All an, um die Menschheit zu retten. Nach zehn Jahren ist die finale Schlacht geschlagen und es ist an der Zeit für Tetsuo, zur Erde zurückzukehren. Allerdings ist die Erde nicht mehr so, wie der Junge sie in Erinnerung hat ...

Fantasy 13 +

## Herr Lehrer, wir werden die Welt zerstören!

Kina Kobayashi

Ein Killer wird zum Lehrer! Number Zero, ein weitbekannter Auftragsmörder, der im Schatten der Nacht arbeitet, wird für seine nächste Mission in die Magieakademie Orion als Lehrer einberufen. Nur sind die Kinder seiner Klasse alles andere als lernwillig ...

Deutsche Ausgabe / German Edition
Altraverse GmbH – Hamburg 2024
Aus dem Französischen von Laura B. Priebe

Sleepy Boy 1, by Marika Herzog


Redaktion: Esther Hornbrook
Herstellung: Esra Doğan, Katharina Kaven
Lettering: Vibrant Publishing Studio

Druck: Nørhaven A/S, Viborg
Printed in Denmark

ISBN 978-3-7539-1793-1 (reguläre Ausgabe)
ISBN 978-3-7539-1796-2 (Collectors Edition)

1. Auflage 2024

www.altraverse.de